PATRICK GIFREU

Patrick Gifreu est né à Perpignan, en 1952. Il écrit en catalan poèmes, essais, nouvelles, etc. Il vient de publier à Barcelone *Arca de Noesi* qui regroupe quatre-vingt dix-neuf articles parus dans l'hebdomadaire *Punt Diari* et une traduction de l'*Archangélique* de Georges Bataille. En collaboration avec Vicenç Altaió, il vient de traduire *Lettre aux acteurs — Pour Louis de Funès* de Valère Novarina qui sera publiée et jouée à Barcelone en mars prochain. Du catalan, il a traduit cinq livres pour les Editions de la Différence, dont trois de Raymond Lulle, parmi lesquels *le Livre de l'Ami et de l'Aimé,* un des joyaux de la collection Orphée.

GIL JOUANARD

Gil Jouanard est né à Avignon, en 1937. Il a publié notamment *Jours sans événements, Un corps entier de songes, l'Eau qui dort, Le moindre mot, Savoir où* (Tous chez Fata Morgana) et *Aires de Transit* (Seghers). A publié diverses préfaces consacrées à Pierre Reverdy (collection Orphée) et à Jean Follain. Dirige à Montpellier le Centre Régional des Lettres et la Maison du Livre et des Ecrivains.

Deuxième Série

145. François Mauriac, *Le Feu secret*, choix et présentation de Jean-Louis Curtis.
146. Thomas Hardy, *La Risée du Temps*, choix, présenté et traduit de l'anglais par Frédéric Jacques Temple.
147. Roberto Juarroz, *Douzième Poésie verticale*, présenté par Michel Camus, traduit de l'espagnol par Fernand Verhesen.
148. Karel Van de Woestijn, *L'Ombre dorée et autres poèmes*, présenté par Georges Thinès, traduit du flamand par Marcel Lecomte.

POÉSIE DE LANGUE CATALANE
PARUS

Raymond Lulle, *Livre de l'Ami et de l'Aimé*, traduit et présenté par Patrick Gifreu (n° 6).
Joan Vinyoli, *Promenade d'anniversaire*, traduit par Patrick Gifreu et présenté par Pep Vila (n° 53).
Joan Brossa, *L'Illusionniste*, traduit par Montserrat Prudon et Pierre Lartigue. Présentation par Pierre Lartigue.

A PARAÎTRE

Ausiàs March, *Chants d'amour et de mort. Chant spirituel*, choix, présentés et traduits par Patrick Gifreu.

MIQUEL MARTÍ I POL

JOIE DE LA PAROLE

TRADUIT DU CATALAN PAR PATRICK GIFREU
ET PRESENTÉ PAR GIL JOUANARD

ORPHÉE / LA DIFFERENCE

PRÉFACE
par Gil Jouanard

Qui songe aujourd'hui au fait que, venue elle aussi en droite ligne — et sans détour florentin ou bavarois — du XIe et du XIIe siècles occitans, la poésie catalane est, quant au fond et quant à l'esprit, la sœur jumelle de la poésie française ? Qui songe au fait qu'il y a moins de distance entre ces deux factures, et ces deux natures, poétiques, qu'entre la poésie catalane et son homologue de Castille ou d'Andalousie ?

La poésie catalane nous est proche donc par l'origine, mais aussi par cette commune disposition qui en apparente le non-dit sous-jacent avec celui qui parcourt des strates profondes de la poésie française des pays du sud, et singulièrement celle de Reverdy et de Bousquet, mais aussi celle du très actuel Jacques Roubaud. Une poésie écrite de l'intérieur de la langue et non de ses lointaines périphéries.

La poésie catalane nous est proche aussi parce qu'elle dispense presque le lecteur français attentif de céder à la traîtresse facilité de la traduction. Le catalan, pour un Français, peut se lire comme un état ou un avatar de la langue romane commune autorisant sans grand effort l'usage de la version originale...

Il suffira de se reporter, page après page, à l'original (ou à la traduction) pour repérer cette communauté de mémoire.

*

A ce compte, pourquoi prévenir la lecture au moyen d'une préface ? La fonction véritable des préfaces reste à déterminer. Quand ces mouches du coche ne sont pas de simples verrues greffées sur le corps d'un texte, destinées à mettre d'abord en évidence la finesse, le savoir et le talent du préfacier, on peut supposer, espérer même, qu'elles servent à quelque chose.

On peut s'imaginer par exemple qu'elles apportent quelque éclaircissement à propos de l'auteur, de son œuvre en général, du contexte dans lequel celle-ci se situe. Mais n'est-ce pas alors une façon de détourner l'attention de la nature et de la fonction principale de la poésie ? N'est-ce pas une façon de désamorcer *l'effet poétique* du texte, son étrangeté, sa force surprenante ? N'est-ce pas en fin de compte une façon de trahir le poème, sans contrepartie sinon ces inutiles gloses bio-bibliographiques, psychologiques, culturelles, qui ne servent en rien l'identité, chaque fois singulière, *ex abrupto* surgie de la vacance de la langue, du texte poétique ?

En quoi la connaissance de la vie d'un auteur, de son environnement social, politique, aide-t-elle à rencontrer dans son poème ce qui s'y trouve, et qui est du ressort de la langue, et qui doit son effet *artistique* à la contondance ou à la corrosivité de son inexplicable singularité ?

Paraphrase pesante ou lest didactique, commentaire superflu quand ce n'est pas enchevêtrement de fausses pistes, la préface sert d'abord à gêner la lecture, si elle n'a pas pour seule vocation de s'efforcer à communiquer un enthousiasme, à ouvrir l'appétit.

A bas donc les préfaces qui sont autre chose qu'un apéritif. A bas les préfaces explicatives, gangues faites de pédantisme et de lourdeur.

La poésie n'est jamais un sujet de dissertation.

*

Martí i Pol n'a pas écrit l'une de ces poésies contemporaines dont la vertu résiderait prioritairement dans l'aptitude qu'elles manifestent à susciter la glose. La poésie de Martí i Pol ne s'enrichit pas des scolies et scories qu'elle engendre. Elle s'enrichit d'elle-même, à être lue. Simplement.

Lisons-la. S'il n'ouvre en nous l'accès au poème latent qui y circule en silence, le poème proposé par le poète n'est qu'un bavardage. Ecoutons si le poème de Martí i Pol réveille notre poème en friche.

Les poèmes choisis et traduits par Patrick Gifreu ont été publiés entre 1974 et 1980. Ils sont par conséquent de cette ère géologique qui a intériorisé, échos lointains, juvéniles tentations, ces mouvements premiers, dont les biographes universitaires nous apprennnent qu'ils eurent d'abord vocation métaphysique avant de sacrifier, plus de douze ans durant, au réalisme historique.

Le réalisme, ou plutôt la réalité, historique, c'était, on l'imagine, cette chappe dont le franquisme avait recouvert le quotidien espagnol, et dont il avait usé pour essayer d'éluder Catalogne et catalan. Après l'élan métaphysique des tout débuts, c'était la phase de l'engagement ; il ne lui restait plus qu'à s'enfoncer dans l'épaisse matière humaine, celle où l'homme social retourne aux dispositions premières, celle où le sacré se désolidarise des dogmes pour s'inscrire dans le vaste questionnement préhistorique et anté-religieux.

La maladie, cette maladie de l'ankylose, qui isole l'individu, fut, si l'on ose dire, l'occasion de cette ascèse intérieure vers l'essentiel, vers les racines de la langue. Vers le temps absolu.

*

C'est un phénomène propre à toute poésie moderne,

depuis deux ou trois générations : à force de prendre en compte les strates superposées ou confondues de la réalité, et confronter la vie de l'auteur à l'histoire des hommes et à la fort ambiguë problématique existentielle, l'écriture finit par inventer une réalité plus authentique, une identité de composition qui supplante progressivement celle de l'individu social.

A un certain moment, donc, la poésie de Martí i Pol est devenue Martí i Pol lui-même, l'a authentifié, réalisé, concrétisé. Et cette anthologie permet de suivre la progression d'une telle métamorphose, destinée, hors de toute référence événementielle, de tout donné spatial ou temporel, voire biographique, à aboutir à son extra-territorialité, à sa vérité plénière, avec les *clares paraules*, les paroles claires, publiées en 1979.

Le choix de Patrick Gifreu s'inscrit au cœur du micro-macro-cosme « martinien », dans l'intemporalité et la « décorporéité » à laquelle « le destin » a « condamné » le poète. Ce sort, à première vue cruel, après réflexion porteur de la plus cruciale des vérités, confronte la conscience d'un homme de chair et d'os à cet état second, ou pré-premier, qui précède, puis, par l'ascèse, parvient parfois à transcender ou dissoudre l'animalité humaine.

Du point de vue de l'alchimie, cela ne serait pas loin d'apparenter la poésie de Martí i Pol à celle de son lointain précurseur, catalan comme lui, Ramon Lulle. Du point de vue de l'exercice quotidien, du dépassement métaphysique de la douleur et de la privation, c'est à Joë Bousquet qu'il convient de se référer. Par des voies différentes, dans une tonalité « culturelle » fort apparentée, ainsi se rejoignent le Catalan et le Languedocien, pareillement provoqués par la vie, partiellement libérés de la lourdeur terrestre par l'aventure intérieure, la migration spirituelle avec et contre, à l'écart et au cœur de la mémoire.

Martí i Pol, par la langue, se libère exactement de la même façon que se libéra Bousquet. Comme, au bout du compte, se libéra en s'intériorisant une civilisation de l'Esprit, née entre Poitiers et Barcelone, autour du XIe siècle, soufisme a-religieux, pratique de derviche immobile, errance d'itinérant figé.

Le monde accumule ses expériences ; le poème les distille, les métamorphose en une alchimie qui, de tout corps pesant, de tout geste inconsidéré, fait un principe, une quintessence.

Renversement de la situation : à un moment, les mots cessent de désigner, de relater : ils deviennent, ils supplantent, ils incarnent. Les mots sont le réel, comme *le silence est de pierre*.

Et ces mots, qui sont Martí i Pol, sont du catalan, et sont une langue nouvelle : ils perpétuent la vitalité d'une langue, longuement marginalisée, mais sans y perdre ses facultés de renouvellement.

Il en va ainsi de toute poésie forte et originale : elle s'inscrit dans une langue, elle s'en nourrit, et, simultanément, elle la remue de l'intérieur, elle la réveille, la force à bouger, à changer, imperceptiblement sans doute, mais de quelque façon décisive.

Immobile à grand pas, Martí i Pol met la langue catalane en mouvement, la rajeunit, la force à dire un peu plus qu'elle n'a sû dire jusque là, la révèle à ce peu d'ombre où quelques unes de ses potentialités sont en attente depuis des millénaires.

C'est en ce sens que, à la façon de tout poète, faiseur de langue (*poein* signifie justement faire), Martí i Pol s'approprie le catalan pour inventer *un* catalan, et, de la sorte, met à jour l'axiome créé par Gerhardt Hauptmann : « La poésie est la langue des origines ». La poésie est en effet cette langue qui part à chaque instant à la découverte du monde, qui en éclaire, en désigne, en active des séquences entières, des recoins obscurs.

De son immobilité forcée, il fait un observatoire. Et c'est la réalité qui est contrainte de tourner autour de lui, écueil, récif, îlot, phare.

Dès lors l'histoire reflue, l'anecdote s'évapore, Martí i Pol, au milieu des courants contradictoires, saisit et exhibe des fragments de la vraie vie, qui n'est pas *ailleurs* mais *plus au fond*.

Martí i Pol, de poème en poème, ne cesse de s'enfoncer un peu plus. Au centre, inaccessible et sans cesse approché, le magma : lumière et chaleur.

*

Le propre du poète, c'est aussi de n'user de son « Je » qu'afin de tarauder l'attention d'autrui et d'en faire sugir son propre *ego*, de l'y faire brusquement, à l'improviste, se reconnaître, se ranimer.

C'est là, on le sait, Eluard l'a clairement exprimé, la fonction religieuse ou magique, et généreuse, de la poésie : restituer à lui-même, sous la peau du citoyen, le poète latent. Et nul n'y parvient jamais autant que celui qui souffre, celui que son corps a condamné à l'isolement, celui qui est confronté à la langue, non plus comme un instrument usuel de communication, mais comme une arme défensive contre le néant, vite retournée par le génie poétique en arme offensive.

Martí i Pol a usé de sa langue pour défendre sa langue, pour rendre dignité et identité à son peuple, puis il a inversé les rôles, et s'est mis à se consumer lui-même pour la santé et la jeunesse perpétuelle de sa langue, du bouclier, re-forgé, il a fait une épée, puis de l'épée un miroir, et dans ce miroir il a invité chacun des familiers de la langue à entrer, à descendre. Il a invité chaque Catalan à partir à la découverte des Indes de l'esprit, l'Eldorado de la libération intérieure, le chaudron de la jeunesse éternelle.

La religion a cédé après l'histoire. Ce sont avatars de l'inquiétude et de la voracité humaines, le détournement de l'aspiration multi-millénaire vers plus de lumière. Le lien qui relie, c'est ce chapelet de mots, non pas dogmatique mais à chaque seconde renouvelé, enrichi de ses propres surprises, de ses rencontres inattendues.

La poésie se nourrit d'elle-même et se renforce de ce qu'elle produit. A la longue, elle n'exprime pas la vie extérieure, elle ne l'affronte plus, elle la suscite, l'invente mot à mot par un effet d'alchimie inhérent au principe même de la langue poétique.

Car c'est la poésie, redisons-le, qui découvre l'Amérique, et qui invente le monde. Et car c'est poétiquement que l'homme habite la terre.

Martí i Pol, à son tour, s'est trouvé confronté à cette évidence, l'a affrontée avec ivresse, s'y est immergé.

Il ne remonte jamais à la surface que chargé de nouvelles «paroles claires», de nouvelles pépites de l'antédiluvienne nouveauté. Il ne parle plus des choses de la vie, mais de la vie des choses. Il trouve, comme Arnaud Daniel, comme Alphonse-le-Savant, comme Raymond Lulle.

Il a retrouvé la racine de toute réalité humaine : le trobar, alchimie verbale, faiseuse de vérité, bain révélateur de l'évidence inscrite au fond de l'obscurité.

Comme toute poésie douée pour la durée, la poésie de Martí i Pol s'est vite détachée du circonstanciel, nous l'avons dit, afin de s'enfoncer dans l'essentiel. Si elle s'est forgé sa langue propre, c'était afin d'aborder ce creusement nécessaire avec des instruments nouveaux. Afin de faire jaillir « l'eau de lumière ».

Nous avons prononcé le mot d'*ascèse*. C'en est une. C'est

même la seule avérée : celle qui dépouille la langue de sa vieille peau, de ses graisses inutiles, de ses scories machinales, de ses réflexes éculés.

L'ascèse de la langue poétique de Martí i Pol consiste progressivement à trier l'essentiel, à laisser le tamis faire son œuvre : à désigner les choses sans les charger de qualificatifs oiseux ; à poser les questions sans les alourdir de réponses stériles.

C'est là aussi qu'agit le plus fertile de l'acte poétique d'écriture : désigner l'objet de la contemplation, soulever ou déloger l'interrogation significative, mais sans suggérer de rêverie ou de méditation unilatérale.

Martí i Pol réussit à cet exercice majeur de toute écriture poétique moderne comme peu d'autres dans sa langue, comme peu d'autres parmi les poètes contemporains.

Pas de métaphore, pas de figure rhétorique : à la façon d'un Reverdy, il désigne avec précision mais sans insister, il attire, il aimante l'attention, il la confronte à ce qui ne proclame rien, à ce qui ne semble même rien suggérer : ceci est là.

Et le lecteur se trouve *tout naturellement* invité à regarder, à écouter, à reconnaître, à distinguer. A s'assimiler la singularité de la chose, sa fort complexe *naïveté* (nativité...).

Ce *trobar clar* agit comme l'eau d'un torrent : transparent, il ne l'est qu'afin de donner plus franchement, plus totalement, sur l'obscurité fondamentale, sur l'ambiguïté.

Traduire une telle poésie est malaisé : il y faut rendre simultanément la rigueur sans apprêt, l'épurement, et ce décalage, spécifiquement poétique, qui transmute le vocable anodin en puits de méditation, en objet contondant.

Nul doute qu'il faille s'y reprendre à deux fois, comme Patrick Gifreu a dû probablement le faire. Et nul doute qu'il faudra le lire à deux fois, à trois fois, pour ne pas glisser sur la fausse banalité d'apparence. Mais il en va ainsi de toute vraie poésie aujourd'hui : elle ne dit plus « oh ! que c'est beau ! » ou « oh, que c'est triste ».

Elle dit : « c'est », et parfois : « c'est, là ». Les maîtres incomparables de la poésie chinoise de la période des T'ang ne faisaient rien d'autre : ils désignaient obstinément, sereinement, le monde. Le lecteur-auditeur croyait de tous ses yeux, entendait de toutes ses oreilles ; puis le monde remuait, agissait en lui, se transformait en lui-même.

Ainsi de Martí i Pol : il écrit une poésie sans effets apparents. De la désignation. Une poésie destinée à remuer en nous, lecteurs, et non à faire un bruit séduisant en surface. Une poésie à retardement.

*

Et c'est ainsi que, chez Martí i Pol comme chez tout poète authentique, la parole cesse d'être l'auxiliaire de la chose qu'il désigne, son mode de préhension commode. La parole devient non pas l'objet (comme elle l'est devenue dans une bonne part de la poésie française contemporaine...), mais le sujet du poème.

Cela me rappelle une anecdote contée naguère par André Dhôtel à propos de Follain (le maître absolu de la désignation non effusionniste). Il me disait que Follain paraissait inattentif aux détails des paysages qu'il, lui, Dhôtel, s'était fait un plaisir de lui faire parcourir dans les Ardennes. D'abord déçu, et fort surpris, Dhôtel, homme de narration, finit pourtant par comprendre de quoi il retournait — et, partant, où se situait la ligne de démarcation entre toutes les formes possibles du récit et la démarche poétique — d'abord, un coup d'œil suffisait à Follain pour saisir *instantanément* le plan et l'arrière plan d'une réalité. Nul besoin de s'y attarder. Ensuite, ce qui requérait l'attention, le souci, la compétence, de Follain, du poète, c'était le substantif désignant la chose et lui laissant tout son potentiel d'ambivalence, tout son pouvoir d'intervention.

Le poème est ce qui parvient, enfin, à livrer dans son état brut la matière première de ce dont nous, lecteurs, sommes conviés à faire une émotion. Mais pour cela, encore faut-il ne point y rajouter nos sentiments, nos avatars biographiques.

Encore faut-il retrouver cette disposition fort ancienne, qui consistait à désigner la réalité pour la faire advenir, tout en respectant, ainsi que le suggère Octavio Paz dans l'arc et la lyre, cette disposition d'esprit orientale, résumable ainsi : en Occident, on dit de deux réalités distinctes « ceci ou cela », ou encore « ceci et cela », tandis qu'en Orient, on dit : « ceci est cela ». Ce qui nous rappelle que les choses ont des lisières et des confins communs entre elles, et qu'une consubstantialité les unit dans une origine immémoriale.

Ce qui nous rappelle également que toute économie de confusionnisme sert à l'appréhension de la cohérence du monde : en percevant la vraie stature de chaque chose et sa vraie densité, le *fonds commun*, celui qui suscite au bout du compte notre émotion, notre vibration « en sympathie ».

La poésie n'a pas pour vocation d'extravertir les sentiments et les sensations personnels, mais de révéler l'anonyme et colossale émotion qui traverse chacun de nous et chacun des lieux et des instants du monde. Niant l'événement, qu'il soit historique ou biographique, la poésie identifie en nous la réalité et nous accroît à l'infini en s'appliquant à nous dissoudre individuellement.

C'est de la philosophie ? Certes ; mais qui a dit que la poésie était autre chose que de la philosophie à l'état pur ?

Pas Martí i Pol en tout cas.

Parti de la langue, il y est aussitôt revenu. Il y est entré une fois pour toutes, et nous parle de là-bas, à l'intérieur du catalan, avec son inflexion propre. Il transmet ce qui s'y passe. Dans le parler poétique, espéranto personnel, *Martí i Pol* en version originale et originellement reconduite dans le flux sans intentions de la consanguinité universelle.

JOIE DE LA PAROLE
(anthologie)

CINC ESGRAFIATS A LA MATEIXA PARET

I

L'ombra que faig si cloc els punys és un
amagatall: hi enfonyo tot el cos.
Lluny, l'espiral de la pluja i els vents
desferma cants i laments a l'atzar
i el temps-ocell esfilagarsa, cec,
bocins del gran parrac. Brunz l'abegot
mentre teixeix paranys. Miralls secrets
N'allargaran el so. Alceu les mans
si us en voleu salvar! Pels aiguamolls
esclaten roges flors de paper fi
i en algun lloc tal volta cauen llamps.
Jo, rocallós, no em perdré pas per l'erm
de tant d'esforç cridaire i agressiu,
ans enclaustrat a dins de mi mateix,
ben protegit per l'ombra-amagatall,
em gestaré de nou fins que l'instant
sigui vingut d'obrir de nou els punys.

II

L'ull endeví, color de poma al punt,
ala d'ocell que cap vent no sosté,

CINQ GRAFFITI SUR UN MUR

I

L'ombre que projettent mes poings est une
cachette : j'y fourre tout mon corps.
Au loin, la spirale de la pluie et des vents
soulève au hasard chants et lamentations
et le temps-oiseau, aveugle, effiloche
des lambeaux du grand accroc. Faux bourdon
qui tisse les pièges. Des miroirs secrets
répercutent son cri. Levez les mains
pour en réchapper ! Dans les marais
éclatent des fleurs rouges de papier fin
et en un autre lieu tombe la foudre.
Rocher dans le désert, je ne me perdrai pas
dans un grand effort guttural et agressif,
mais cloîtré au dedans de moi-même,
bien protégé par cette ombre-cachette,
je serai à nouveau ma gestation
et le moment viendra d'ouvrir les poings.

II

L'œil devin, couleur de la pomme mûre,
aile d'oiseau qu'aucun vent ne soutient,

inventa gorgs amb un cel d'aigua al fons
o segueix rutes de traçat subtil.
L'ull senyoreja, lent, pels espadats
i jo que em tinc per llegidor tenaç
li faig costat per desxifrar secrets.
Porta barrada a qualsevol reclam,
el meu cos d'ara, puc tocar amb els ulls
l'origen tebi de la solitud
i esdevenir sageta, arc i fitó.
Vindrà la nit i no serà cruel.
S'acomplirà en el temps el pas del temps;
i quan ja siguin ben madurs els fruits
d'allò que és ver i just, els collirà,
ala d'ocell que cap vent no sosté,
l'ull endeví, color de poma al punt.

III

Dellà el mirall algú crida la mort,
crida la mort i la mort no respon.
Deu dits-serpent palpen el mur-rostoll.
No sents la rel de tot a trenc de pell?
Toca l'eixut i amara-te'n la veu,
que el fueteig dels mots que no pots dir
se't torni mans. Estampa a la paret
amb signes tàctils l'àmfora i el vent,
l'arbre i l'esfera, l'horitzó i la nit,
i ressegueix-te pam a pam pel rost.
Debades pugen a la gola crits,

invente des gorges sur fond de ciel d'eau,
ou bien suit des routes au tracé subtil.
L'œil chemine, fier, sur les falaises
et moi qui croyais être un lecteur tenace,
à ses côtés je déchiffre les secrets.
Porte close à toute réclamation,
mon corps en l'état, je peux toucher des yeux
l'origine tiède de la solitude
et devenir flèche, arc et cible.
La nuit viendra et ne sera point cruelle.
Dans le temps s'accomplira le temps qui passe,
et lorsque les fruits du vrai et du juste
seront mûrs à point, il les cueillera,
aile d'oiseau qu'aucun vent ne soutient,
l'œil devin, couleur de la pomme mûre.

III

Par-delà le miroir on appelle la mort
on appelle la mort qui ne répond pas.
Dix doigts-serpent palpent le mur-chaume.
Sens-tu, dans ta chair, la racine de tout ?
Touche le stérile, imprègne-t'en la voix,
ainsi le fouet des mots que tu dois taire
deviendra tes mains. Grave sur le mur
les signes tactiles, amphore et vent,
arbre et sphère, horizon et nuit,
et suis-toi pas à pas sur la côte.
Des cris te montent en vain à la gorge,

però el secret no et serà pas defès
si orb de veu i a les palpentes, mut,
t'escrius de nou a les parets i ets un
amb tu mateix i amb aquest món hostil.
I aquell que crida insistentment la mort
no n'obtindrà ni resposta ni ajut.

IV

Clava les ungles a l'escorça, pell
de segles, dura de combats i eixut
i arrenca'n crostes fins que sagni. Tot
ha estat escrit a crits a la paret,
senyals, enigmes, xifres i camins,
perquè ho llegeixis, ara que no pots
rebre a la cara l'aldarull del vent,
rentar-te amb pluja i eixugar-te amb sol.
Clava les ungles a ple mur. Fal.laç,
el temps hi ha anat acumulant l'engrut
de tantes rutes sense nord ni nom.
Debades cremen focs pels desiguals
reductes d'ombra i de silenci. Cap
no encén margeres ni desvetlla llamps.
Ja no ressona el mar pels farallons,
però tot neix d'aquesta quietud.
Clava't les ungles fins a atènyer els mots.

mais le secret ne t'est plus défendu
si, privé de voix, à tâtons, muet,
tu t'inscris à nouveau sur les murs pour
ne faire qu'un avec ce monde hostile.
Celui qui appelle sans cesse la mort
n'obtiendra ni réponse ni secours.

IV

Plante tes ongles dans l'écorce, peau
des siècles, dure de combats, stérile,
arrache les croûtes jursqu'au sang. Tout
fut écrit avec des cris sur le mur,
signaux, énigmes, chiffres et chemins,
pour que tu le lises alors que ton visage
ne reçoit plus le tumulte du vent,
le bain de pluie et le séchage au soleil.
Plante tes ongles dans le mur. Fourbe,
le temps a accumulé peu à peu la crasse
de maintes routes sans nord et sans nom.
Des feux brûlent en vain par les divers
réduits d'ombre et de silence. Aucun
n'embrase les bords ni ne produit l'éclair.
La mer ne résonne plus sur les récifs,
bien que tout naisse de cette quiétude.
Plante tes ongles en toi jusqu'aux paroles.

Clos de miralls la cambra i jo al bell mig.
No em reconec en cap imatge. ¿Qui
pot destriar l'aigua de l'aigua? El temps
passa a través dels múltiples miralls
i es dilueix. No hi ha vials secrets,
canten els galls a fora. L'heura creix
i ofega panys de mur. Pujo a l'areny
d'un altre jo i em veig — sóc jo?— quallat.
Tinc por de tot, inevitablement.
Si moc els dits caurà una pluja d'anys
i esclatarà de nou la bonior.
Manllevo mots: qui sóc, on sóc?
No em respondran ni l'heura ni els miralls.
Punyclòs desfaig la ruta: ungles, dits,
ombra i no-res. Des de tots els miralls,
ninot amb ulls de vidre, em miro. Cau
la nit i esborra els rastres: sobrevisc.

Clos de miroirs la chambre, moi au milieu.
Nulle image où me reconnaître. Qui
peut distinguer l'eau de l'eau ? Le temps
passe à travers de multiples miroirs
et se dilue. Il n'y a pas de voie secrète,
dehors les coqs chantent. Le lierre pousse
étouffe les murs. Je monte sur la dune
d'un autre moi et me vois — moi ? — figé.
J'ai peur de tout, c'est inévitable.
Je bouge mes doigts, une pluie d'années tombe
et le bourdonnement éclate à nouveau.
J'emprunte ces mots : qui suis-je ? quoi ? où ?
Lierre ni miroirs ne me répondent.
Poings clos, je défais le chemin : ongles, doigts,
ombre et néant. Pantin aux yeux de verre,
de tous les miroirs, je me regarde. Tombe
la nuit, elle efface les traces : je survis.

LLIBRE DELS SIS SENTIS

VI

Però hem viscut per salvar-vos els mots.
SALVADOR ESPRIU

Ombra i forcall, l'enyor reblà silencis.
Dèiem no dir, perquè l'eixut fes crosta
Damunt la pell, i preservar collites
de l'escomesa d'aquell bou estòlid,
sempre girat d'esquena al mar, que duia
rasclum de mort al fons de les pupil.les.
Dèiem no dir pel blat i la civada,
pel fonollar, el llebrot i la gavina,
pels rius profunds i els vuit vents de la terra.
Dèiem no dir, serrant les dents amb ira
contra el grallar dels ocellots sinistres,
pel llamp també, i el tro i la calamarsa.
I plogué zenc pels camals del capvespre
mentre la nit percudia timbales
per ofegar el renou de les marees,
i a camp obert, senyorejant fal.laços,
els nou vinguts agitaven bubotes.
Tot ho vam perdre: veles i banderes,
el gust de sal i sol a les genives
i aquell embruix de viure a plena vida,

28

LIVRE DES SIX SENS

VI

Mais nous avons vécu dans le but de
sauver les mots pour vous.
SALVADOR ESPRIU

Ombre, croisée, la nostalgie scella les silences.
Nous disions à demi-mot, le stérile fut croûte
sur la peau et les récoltes furent préservées
de l'attaque de ce bœuf stupide,
le dos toujours tourné à la mer et des
raclures de mort au fond des pupilles.
Nous disions à demi-mot le blé et l'avoine,
le fenouil, le levreau, la mouette,
les fleuves profonds, les huit vents de la terre.
A demi-mot, se faire les dents, de rage,
contre le croassement de sinistres rapaces,
dire l'éclair, le tonnerre et la grêle.
Il plut du zinc par les jambiers du crépuscule
tandis que la nuit blousait les timbales
pour étouffer la rumeur des marées ;
en rase campagne, hautains et fallacieux,
les nouveaux venus agitaient leurs marottes.
Nous avions tout perdu : voiles et drapeaux,
goût du sel et de soleil sur les gencives,
envoûtement de vivre à pleine vie,

i asclar la llum i fer-ne diademes.
Tot ho vam perdre en la inútil contesa
que encimbellà una cohort de sapastres
oficiants de mites i crepuscles.
I el jull clavà la rel al moll dels ossos
mentre pel coll dels anys, a trenc de lluna,
s'esbocinava l'àmfora dels somnis.
Només el mar, broix i solemne alhora
— còdol i escut i fona i atzagaia — ,
restà fidel als símbols i a l'aurora,
servà l'escriny i apregonà tendreses.
I, a poc a poc, l'aigua fecundà l'aigua
i als fons dels pous, als recs i a les cisternes,
recomençà el brogit de les paraules,
flors de cascall reblides de preguntes.
I varem dir dient altra vegada,
primer, amb recel, pels carrers i les places,
després, ardits, pels carrers i les places
perquè pellessin altre cop les fulles
i es desvetllés el vent de les congestes,
que el bou, maldestre i sòpit, potollava
i li creixien heures a les banyes.
Vam dir dient amb mans de fang i boira,
amb foc als ulls i sang a flor de llavis,
amb gust de menta i xiscles de falcies,
a tort i a dret, pels congosts i les dunes,
fins que es trencà el mirall i el mar de sempre
se'ns oferí de nou inalterable.
Gresol i encuny, la veu traçà la ruta.

fendre la lumière et faire des diadèmes.
Nous avions perdu dans ce combat inutile
qui intronisait une cohorte de patauds
d'officiants de mythes et de crépuscules.
L'ivraie prit racine dans la moelle des os,
par le goulot des années, au clair de lune,
l'amphore de nos rêves se brisait.
Seule la mer, pauvre et solennelle
— le galet et l'écusson, la fronde et la sagaie —,
restée fidèle aux symboles et à l'aurore,
garda l'écrin et approfondit les tendresses.
Enfin, peu à peu, l'eau allait féconder l'eau,
du fond du puits, du ruisseau et de la citerne,
monta à nouveau le tumulte des paroles,
fleurs de pavot fécondes de questions.
Et, à nouveau, nous disions le mot propre,
d'abord, méfiants, dans les greniers et les alcôves,
puis, enhardis, par les rues et les places,
pour que les feuilles cicatrisent à nouveau
et se réveille le vent vif des congères,
que le bœuf foulait, maladroit et assoupi,
le lierre grimpant autour des cornes.
Dire le mot propre, mains de boue et de brume,
feu dans les yeux et sang à fleur de lèvres,
vrai goût de menthe et de cris de martinets,
en tous sens, par les défilés et les dunes.
Enfin le miroir se brisa et cette mer
éternelle s'offrit à nous inaltérable.
Creuset et coin, la voix nous traça la route.

Per fils de pluja el doll de les estrelles,
per fils de llum el doll de cent migdies.
El blat i el vi de l'abundor perduda
ara assaonen l'abundor novella.
Direm dient amb els sentis alerta,
de cara al mar ple de noves balises.
Llevantejant vam conjurar el malastre;
llevantejant el conjurem encara.

Par les fils de la pluie le jet des étoiles,
par les fils du soleil le jet de cent midis.
Le blé et le vin de l'abondance perdue
assaisonnent aujourd'hui la nouvelle abondance.
Nous dirons le mot propre les sens à l'affût,
face à la mer peuplée de nouvelles balises.
Vers le levant hier nous conjurions le désastre ;
vers le levant nous le conjurons toujours.

QUADERN DE VACANCES

METAMORFOSI

I

De tant en tant la mort i jo som u:
mengem el pa de la mateixa llesca,
bevem el vi de la mateixa copa
o compartim amicalment les hores
sense dir res, llegint el mateix llibre.

De tant en tant la mort, la meva mort,
se'm fa present quan sóc tot sol a casa.
Aleshores parlem tranquil.lament
del que passa pel món i de les noies
que ja no puc haver. Tranquil.lament
parlem la mort i jo d'aquestes coses.

De tant en tant — només de tant de tant —
és la mort la que escriu els meus poemes
i me'ls llegeix, mentre jo faig de mort
i l'escolto en silenci, que és tal com
vull que escolti la mort quan jo llegeixo.

De tant en tant la mort i jo som u;
la meva mort i jo som u, i el temps
s'esfulla lentament i el compartim,

CAHIER DE VACANCES

METAMORPHOSE

I

Parfois la mort et moi ne faisons qu'un :
nous mangeons la même tranche de pain
et buvons le vin de la même coupe,
en bons amis nous partageont les heures
sans rien dire, lisant le même livre.

Parfois, je suis tout seul à la maison,
et voilà que la mort, ma mort, m'est présente.
Nous discutons alors tranquillement
des événements du monde et des filles
que je ne peux avoir. Tranquillement
nous parlons, la mort et moi, de cela.

Parfois — et seulement à ce moment —
c'est elle, la mort, qui écrit mes poèmes
et me les lit quand je tiens lieu de mort,
je l'écoute en silence, c'est ainsi
qu'elle doit m'écouter lorsque je lis.

Parfois la mort et moi ne faisons qu'un.
Ma mort et moi ne faisons qu'un, le temps
s'effeuille lentement et nous le partageons,

la mort i jo, sense fer escarafalls,
dignament, que diríem per entendre'ns.

Després les coses tornen al seu lloc
i cadascú reprèn la seva via.

la mort et moi, sans faire de manières,
dignes, si je puis m'exprimer ainsi.

Puis les choses se remettent à leur place
et chacun reprend son chemin.

Hi ha també la casada del disset
que sempre porta shorts, i el maricó
del dotze, que viu sol i rep visites.
Hi ha els del deu, que aquest any estrenen cotxe
i tenen gos a totes les botigues
i la rossa del vint, que pren el sol
sense sostenidors i té minyona.
Hi ha la nena del vuit, que aquest estiu
ha menstruat per primera vegada
i la vídua eixorca del divuit
que maldiu de tothom. Hi ha tres donzelles
que es banyen nues d'amagat i es palpen
mútuament en eixugar-se i riuen.
Hi ha botiguers gasius i un vell que surt
cada tarda amb un caçapapallones
i quan és lluny espia les parelles.
Hi ha un funcionari retirat, que beu
més del compte els dissabtes. Hi ha adulteris
d'una tendresa fonda, insospitada,
i subrepticis cobriments de cor
que en el record esdevindran falenes.
Hi ha gent grisa i cansada; hi ha la gent
de tot arreu, que un dia qualsevol
es veu en un mirall, i ja no té
coratge ni vergonya per trencar-lo.

II

Il y a aussi la bourgeoise du dix-sept
toujours en short, et l'inverti
du douze qui vit seul et reçoit des visites.
Les voisins du dix qui étrennent leur voiture
et ont une ardoise dans chaque magasin,
la blonde du vingt qui bronze
les seins nus et qui a une bonne.
La petite du huit qui a eu ses règles
cet été pour la première fois,
et la veuve stérile du dix-huit
qui dit du mal de tous. Les trois filles
qui se baignent nues en cachette, se caressent
mutuellement en s'essuyant et en riant.
Des commerçants cupides et un vieux qui sort
l'après-midi armé d'un filet à papillons
et qui s'éloigne pour épier les couples.
Un fonctionnaire à la retraite qui le samedi
boit plus que de raison. Des adultères
d'une tendresse profonde et insoupçonnée,
et de subreptices pâmoisons
qui deviendront phalènes dans le souvenir.
Des gens gris et fatigués, des gens
de n'importe où qui un jour
se voient dans le miroir et n'ont plus
le courage ni la pudeur de le briser.

ARBRES

Mesura tot l'embruix
de les fulles tan verdes.
M'enfilo pel brancam
i ara esclata la posta.
La veus, la quietud?
Porpra endins de la tarda
s'esfilagarsen veus
anònimes i estranyes.
Dius que no em saps el nom
i això et desassossega.
Doncs bé, tots dos plegats
fugirem quan fosquegi.
Tens la pell de color
d'oblit i de tendresa.
Just el color que escau
al neguit de les fulles.

ARBRES

Mesure tout l'envoûtement
des feuilles si vertes.
Quand éclate le coucher
je grimpe sur le branchage.
Cette quiétude, la vois-tu?
Pourpre dans l'après-midi
s'effilochent des voix
anonymes et étranges.
Tu dis ne pas connaître mon nom
et cela t'inquiète.
Très bien, tous deux, ensemble,
nous fuirons à la tombée de la nuit.
Tu as la peau couleur
d'oubli et de tendresse.
Juste la couleur qui sied
à la tristesse des feuilles.

SALVEU-ME ELS ULLS

Salveu-me els ulls quan ja no em quedi res.
Salveu-me la mirada ; que no es perdi!
Tota altra cosa em doldrà menys, potser
perquè dels ulls me'n ve la poca vida
que encara em resta, i és pels ulls que visc
adossat a un gran mur que s'enderroca.
Pels ulls conec, i estimo, i crec, i sé,
i puc sentir i tocar i escriure i créixer
fins a l'altura màgica del gest,
ara que el gest se'm menja mitja vida
i en cada mot vull que s'hi senti el pes
d'aquest cos feixuguíssim que no em serva.
Pels ulls em reconec i em palpo tot
i vaig i vinc per dins l'arquitectura
de mi mateix, en un esforç tenaç
de percaçar la vida i exhaurir-la.
Pels ulls puc sortir enfora i beure llum
i engolir món i estimar les donzelles,
desfermar el vent i aquietar la mar,
colrar-me amb sol i amarar-me de pluja.
Salveu-me els ulls quan ja no em quedi res.
Viuré, bo i mort, només en la mirada.

SAUVEZ MES YEUX

Lorsque j'aurai tout perdu sauvez mes yeux,
sauvez mon regard, qu'il ne se perde point !
C'est la seule chose que je regretterai
car le brin de vie qu'il me reste encore
provient de mes yeux, je vis à travers eux
adossé à un grand mur qui s'écroule.
Par les yeux je connais, aime, crois, et sais,
je peux sentir, toucher, écrire, et grandir
jusqu'à la hauteur magique du geste,
au moment où le geste ronge ma vie ;
en chaque mot il faut sentir le poids
de ce corps très lourd qui ne m'obéit plus.
Par les yeux je me reconnais, je me touche,
je vais et je viens dans l'architecture
de moi-même, en un effort tenace
pour rechercher la vie et l'épuiser.
Par les yeux je sors boire la lumière,
avaler le monde, aimer les filles,
déchaîner le vent et calmer la mer,
me brûler de soleil et m'enduire de pluie.
Lorsque j'aurai tout perdu sauvez mes yeux.
Disparu, je ne vivrai que par le regard.

SÍNIA

Cent vegades i escaig
i cent altres vegades.
Quan no dol el record,
dol l'enyor o l'absència;
quan no dol el camí,
dol l'eixut o la fosca,
cent vegades i escaig
i cent altres vegades.
Cent vegades i escaig
amb les sàrries buides,
percaçat per burots
amb trabuc i espardenyes,
i cent més, mariner
d'un vaixell que naufraga.
Cent vegades i escaig
i cent altres vegades,
i em remullo quan plou
i si caic em redreço,
que si un vent m'abalteix
prou que un altre em desvetlla
i ja encenc el fogall
de cent noves fal.leres
cent vegades i escaig
i cent altres vegades.

NORIA

Cent fois et même plus
et cent fois encore.
Quand le souvenir ne blesse plus
c'est l'absence, ou le regret.
Quand le chemin ne blesse plus
c'est le désert ou l'obscur,
cent fois, et même plus
et cent fois encore.
Cent fois et même plus,
avec les sacoches vides,
chassé par les douaniers
portant tromblons et espadrilles,
cent fois encore, marin
sur un navire en naufrage.
Cent fois et même plus
et cent fois encore,
je me trempe quand il pleut,
je me relève après la chute.
Si tel vent m'assoupit
tel autre me réveille
et j'allume le foyer
de cent nouveaux caprices.
Cent fois et même plus
et cent fois encore.

V

Signo l'adéu amb fulles. Tornaré l'any vinent.
Guardeu-me el mateix llit, les mateixes paraules
i aquesta persistent olor de floridura.
Que tot sigui com ara, tenaçment provisori,
per suscitar el desig d'inefables recerques,
per escanyar l'enyor amb qualsevol excusa.
M'enduc tols els records i els cremaré un a un,
a foc lent, a l'hivern, sense dol ni recança.
Es aixi com em vull, heura de mi mateix,
fondament arrelat a la vida que em resta,
consumant una mort benigna i estimable.
Quan torni l'any vinent ja haurà florit de nou
l'arbre de flors vermelles, i une noia de pits
incipients i durs em mirarà expectant

V

Des feuilles paraphent mon adieu. A l'an prochain.
Gardez-moi le même lit, les mêmes paroles
et cette persistante odeur de moisi.
Que tout reste en l'état, durable et provisoire,
pour susciter le désir d'ineffables recherches,
pour étrangler l'ennui avec une banale excuse.
J'emporte tous les souvenirs pour les brûler,
un à un, à feu doux, l'hiver, sans deuil ni regret.
C'est ainsi que je m'aime, lierre de moi-même,
vraiment enraciné dans la vie qui me reste,
consumant une mort bénigne et estimable.
L'an prochain, à mon retour, l'arbre aux fleurs vermeilles
aura déjà fleuri, et une fille aux seins
naissants et fermes me regardera, surprise,
puis me sourira, complaisante, attendrie.

CRÒNICA DE DEMÀ

QUASI AUTORETRAT

Mira'm davant aquest full de paper
confegint mots, convocant amb esforç
presències obscures. No el regust
d'uns anys esdolceïts, sinó el licor
d'ara mateix que bec a petits glops
avarament i amargament. Tindràs
la imatge certa d'aquest jo novell
desposseït de tot, senyor de tot,
que no projecta l'ombra cap enlloc
i es sobreviu en tot, desmesurat.
Mira'm inscrit damunt aquest paper
i solc a solc pots dibuixar-me el gest.
Tot és concret, i nu, i elemental.
No tinguis por de penetrar el secret
d'aquest tendríssim jo que tens als dits.
Confon-te amb mi com jo em confonc amb tu.

CHRONIQUE DE DEMAIN

PRESQUE UN AUTOPORTRAIT

Regarde-moi devant la page blanche
forger des mots, convoquer avec peine
d'obscures présences. Non pas le goût
d'années doucereuses, mais la liqueur
de l'instant bue à petites gorgées
retenues et amères. Tu auras
l'authentique image de ce moi nouveau
dépossédé de tout, maître de tout,
qui ne projette d'ombre vers nulle part
et qui se survit en tout, démesuré.
Regarde-moi inscrit sur ce papier
sillon après sillon esquisse mon geste.
Tout est concret, nu, élémentaire.
Ne crains pas de pénétrer le secret
du moi tendre que tu as dans tes doigts.
Confonds-toi avec moi, je me confonds avec toi.

DE SOCIETAT

Una tarda la Lota va dir molt seriosa
que ella el que no faria de cap manera fóra
sortir al carrer si no portava els ulls pintats:
— M'estimaria més sortir nua — afirmava,
i em va mirar aleshores i tots dos vam somriure.
Ella seia al costat del seu marit i duia
uns shorts blancs molt cenyits damunt les cuixes d'eben.
Bevíem whisky amb gel i parlàvem, com sempre,
de revoluciones fallides i de sexe,
de drets, de llibertats i d'altres bagatel.les.
Ruminàvem conceptes. Destrament ruminàvem
conceptes, i era fàcil de destruir principis
i esventar-ne les cendres, d'amollar frases dures
contra els porucs i els febles, d'afectar displicència
perquè tots ens sabíem el paper de memòria
i el dèiem convençuts i amb un punt d'esperança,
perquè al defora feia una tarda xafogosa
i l'estança era fresca i acollidora i plàcida.
La Lota, l'endemà, va venir a casa meva
pretextant no sé quina consulta sobre un llibre
i vàrem fer l'amor per primera vegada
sense por ni desficis, enfervorits i alegres.
Era molt vehement, la Lota, i s'entendria
per qualsevol fotesa: un gest, una paraula.

DE LA SOCIÉTÉ

Un après-midi, Lota me dit sérieusement
qu'elle ne voudrait pour rien au monde
sortir sans être maquillée :
« J'aimerais mieux sortir nue », affirmait-t-elle,
me lançant un regard, et nous sourîmes.
Assise près de son mari, elle portait
des shorts blancs moulant ses cuisses d'ébène.
Nous buvions du whisky glacé, parlant toujours
de révolutions manquées et de sexe,
de droits, de libertés et d'autres inepties.
Nous ruminions des concepts. Habilement,
et il était facile de détruire des principes
d'en disperser les cendres, de vomir des phrases dures
contre les lâches et les faibles, d'affecter l'indifférence
parce que nous connaissions notre rôle par cœur
et, convaincus, récitions avec une lueur d'espoir,
dans une pièce fraîche, calme et accueillante,
tandis que dehors l'après-midi était lourd.
Le lendemain, Lota vint me rendre visite
sous le prétexte de consulter un livre
et nous fîmes l'amour pour la première fois
sans peur ni inquiétude, avec passion et joie.
Elle était véhémente mais s'attendrissait
à tout propos, au moindre geste, au moindre mot.

Per ella aquell lligam era un senyal claríssim
del món prefigurat en múltiples converses;
no un accident banal sinó el foc que allibera.
— Ho veus com és possible — deia i, desmesurada,
afegia: — Això nostre durarà, n'estic certa.
Va durar tot l'estiu. Al capdavall, maldàvem
per evitar els estralls de la desfeta, i vàrem
aconseguir un final enraonat i digne.
Ara ens veiem sovint, amb els amics de sempre,
i parlem, com abans, de les mateixes coses
i bevem whisky amb gel com abans. Tot retorna
per camins tan fressats que de vegades sembla
que no ens hem ni mogut i al pou de la memòria
no hi ha veus ni records sinó un gran munt de sorra.
Tot és feixuc i inhòspit, aleshores, i a voltes
penso si no caldria mastegar el vas amb fúria
perquè almenys algun cop sagnessin les paraules.

Pour elle, cette liaison était un signe évident
du monde que préfiguraient nos discussions :
pas un accident banal mais le feu libérateur.
« Tu vois bien que c'est possible » et, excessive,
elle ajoutait : « Ça durera, j'en suis sûre.»
Cela dura tout l'été. Puis, nous nous efforcions
d'éviter les inconvénients de l'échec, et nous
parvînmes à un accord raisonnable et digne.
Nous nous voyons souvent, avec nos amis communs,
nous abordons toujours les mêmes sujets,
nous buvons du whisky glacé. Tout revient
par des sentiers si battus qu'il semble parfois
que nous n'avons pas bougé et le puits de la mémoire
est, sans voix ni souvenir, un grand tas de sable.
Tout devient pesant et inhospitalier,
ne faudrait-il pas quelquefois mâcher le verre
de rage pour que les paroles saignent.

FULLA PER FULLA

Com s'allargassa aquest crepuscle. Flàccid
s'arrapa a tot arreu i no vol caure;
fulla per fulla l'hauràs de combatre.
Fulla per fulla i roc per roc. No pots
beure't d'un glop tot el licor que resta,
solatge amarg, al fons del vas, però
saps de segur que dellà aquest crepuscle
hi ha l'esfera compacta de la nit
i un dia nou amb vent a tots els marges.

FEUILLE À FEUILLE

Que ce crépuscule traîne en longueur ! Flasque
il s'accroche à tout et ne veut point mourir.
Feuille à feuille, tu devras le combattre,
feuille à feuille, pierre à pierre. Tu ne peux
boire d'un trait toute la liqueur qui reste,
dépôt amer au fond de la coupe,
mais tu es certain qu'au-delà du crépuscule
il y a la sphère compacte de la nuit
et le vent d'un jour nouveau sur les lisières.

A DISTÀNCIA

Definitivament desposseït
de xarxes i de veles
i només, tant se val!,
mínimament feliç,
i encara a estones,
aquest estiu inesperat que em creix
membres amunt
s'entesta a convertir cendres en foc
i a desvetllar marees i marors.
Espectador furtiu de mi mateix,
estranyament distanciat del temps
i alhora
present en el present,
cap vent no em mou, però tots em travessen,
i em veig a frec de sorrals i meandres
agitant cascabells i cassanelles.
No em demaneu qui m'ha dut fins aquí.
Seguiu-me, si així us plau, i ens rentarem
els ulls a cada font
que brolli de les roques,
que quan minvi l'esclat
i es balmin altre cop tots els silencis,
puguem ben destriar

À DISTANCE

A jamais dépossédé
des filets et des voiles
et tout juste heureux
à certains moments,
mais qu'importe !
Cet été inespéré qui grandit
sur mes membres
s'entête à transformer les cendres en feu
et à réveiller marées et tempêtes.
Furtif spectateur de moi-même,
à une distance étrange du temps
et à la fois
présent dans le présent,
aucun vent ne me pousse mais tous me traversent,
et je me vois foulant le sable et les méandres
agitant grelots et galles.
Ne me demandez pas qui m'a amené jusqu'ici.
Suivez-moi, s'il vous plaît, et nous nous laverons
les yeux à chaque source
qui jaillit des rochers,
de sorte que l'éclat baisse,
que se vident à nouveau les silences,
que nous puissions bien distinguer

l'esfera del fullam
i sotmetre gavines i dofins
al ritme de l'enlloc i la pregunta.

la sphère du feuillage
et soumettre mouettes et dauphins
au rythme de la question et du nulle part.

ESTIMADA MARTA

SET POEMES D'ANIVERSARI

I

Mira'm els ulls que cap fosca no venç.
Vinc d'un estiu amb massa pluges,
però duc foc a l'arrel de les ungles
i no tinc cap sangtraït pels racons
de la pell del record.
Per l'abril farà anys del desgavell:
set anys, cosits amb una agulla d'or
a la sorra del temps,
platges enllà perquè la mar els renti
i el sol i el vent en facin diademes.
Mira'm els ulls i oblida el cos feixuc,
la cambra closa, els grans silencis;
de tot això só ric, i de més coses,
però no em tempta la fredor del vidre
i sobrevisc, aigües amunt del somni,
tenaç com sempre.
Mira'm els ulls. Hi pots llegir el retorn.

MARTHE MON AMOUR

SEPT POÈMES D'ANNIVERSAIRE

I

Regarde mes yeux que la nuit ne vainc pas.
Je viens d'un été trop pluvieux,
la racine de mes ongles est en feu,
aucune ecchymose dans les recoins
de la peau du souvenir.
C'est en avril qu'eut lieu la secousse :
sept ans, cousus à l'aiguille d'or
au sable du temps,
par delà les plages où la mer les lavera
où soleil et vent les changeront en diadèmes.
Regarde mes yeux et oublie mon corps pesant,
la chambre close, les grands silences.
Riche de tout cela, et davantage encore,
mais la froideur du verre ne me tente pas
et je survis, eaux en amont du rêve,
toujours tenace.
Regarde mes yeux. Tu y liras le retour.

CAPFOGUER

Cap gest sobrer. Tot mesurat i breu.
L'ordre perfà la solitud extrema
i converteix el joc en profecia.
Cap gest sobrer, i el lent fluir dels mots
que no transmuta en pols aquest silenci.

A trenc de pell i a trenc d'ungles i dents
retruny la veu. Sense dir res, sospeso
la densitat dels mots, la consistència.
No n'escriuré ni un que no em complagui
profundament. Els mots són el relleu
d'aquest paisatge estricte que dibuixo
i han d'ésser plens, suggeridors, compactes.
Cal que si mai algú s'hi aventura,
com ara jo, no es perdi per camins
massa intricats ni el venci la desesma.
No confegeixo signes, displicent.
En cada mot m'hi jugo l'existència.

Encara escric amb una certa por,
o, potser, més exactament caldria
parlar d'un cert pudor elemental
que, per sort meva, mai no m'abondona.

CHENET

Aucun geste de trop. Tout mesuré et bref.
L'ordre parfait la solitude extrême
et change le jeu en prophétie.
Aucun geste de trop et le flux lent des mots
que ce silence ne transmute pas en poussière.

A travers peau, à travers ongles et dents
la voix résonne. Sans rien dire, je soupèse
la densité des mots, leur consistance.
Je n'en écrirai aucun qui ne me satisfasse
pleinement. Les mots sont le relief
de ce paysage strict que je dessine,
ils doivent être pleins, compacts et suggestifs.
Si jamais quelqu'un ose s'y aventurer,
à mon exemple, il ne doit pas se perdre
s'embrouiller et finir par être découragé.
Je ne dispose pas des signes, indifférent.
Dans chaque mot, mon existence est en jeu.

J'écris encore avec une certaine peur,
ou plus exactement faudrait-il
parler d'une pudeur élémentaire
qui, par chance, jamais ne m'abandonne.

Escric amb por i no em dol confessar-ho,
que aquesta por no té res de sinistra
i em fa molt amable companyia.
Estimo molt, també, allò que escric.
Ho estimo tendrament, profundament,
no amb un amor egoista i pedant
sinó amb un amor clar, que posa accents
de llibertat damunt cada paraula.
D'aquella por i també d'aquest amor
en són plens els meus versos. Moltes coses
més no hi haurà tal volta, sobretot
en els que escric avui, desposseït
de tants de béns per no sé pas quins déus
no massa benvolents, però la por
i encara més l'amor resten intactes
i fins i tot augmenten, generosos.
Ho sé i dic perquè constitueixen
l'arrel noble i profunda dels poemes
i n'afermen, propicis, l'estatura.
La resta, fet i fet, és pura anècdota.

Molt més auster que mai, i més adust,
ara que bé podria aparentar
una actitud llunyana i displicent
atès que els anys no compten per a mi
com per a l'altra gent, faig el que puc
— ben poca cosa — per mantenir tens
tot el cordam dels versos i el teixit
d'aquesta vida fonda i vehement

J'écris dans la peur et je l'avoue sans regret,
cette peur-là n'a vraiment rien de sinistre
et elle m'est d'une agréable compagnie.
J'aime beaucoup, aussi, tout ce que j'écris.
Je l'aime tendrement, profondément,
non pas d'un amour égoïste et pédant
mais d'un amour clair, qui met des accents
de liberté sur chaque parole.
De cette peur mais aussi de cet amour
mes vers en sont emplis. De nombreuses
choses manqueront peut-être, surtout
dans ceux que j'écris, dépossédé
de tant de biens par je ne sais quels dieux
peu bienveillants, mais cette peur-là
et avant tout l'amour restent intacts
et ne cessent d'augmenter, généreux.
Je le sais et le dis car ils constituent
la racine noble et profonde des poèmes
et, propices, en consolident la stature.
Le reste, après tout, n'est que pure anecdote.

Plus austère que jamais, plus morose,
à présent je pourrais très bien prendre
une attitude lointaine et indifférente
car les années ne comptent pas pour moi
comme pour autrui, je fais ce que je peux
— pas grand chose — pour garder tendues
toutes les cordes des vers et le tissu
de cette vie profonde et véhémente

que em toca viure. No desistiré.
Ho faig per mi i ho faig, també, per tots.
Hi ha un cert espai i un molt incert destí:
destí i espai els omple cadascú.
La veritable mort és desertar.

A voltes cau una cortina espessa
damunt de tot, i tot esdevé estèril.
No és el silenci i és més que el silenci.
Floten els mots en una mar immòbil,
tota la cambra és un parany i esclaten,
inútilment, angoixes i projectes.
Res no distreu d'aquests instants terribles
com tancar els ulls imaginar una noia
de cos propici al joc, a la baralla.

Discretament, però amb aquella força
que no se sap ben bé d'on procedeix
vull deixar dit això que dic, les coses
elementals i clares que em commouen:
uns sentiments, uns anhels, uns neguits,
el fer i desfer senzill de cada dia.
Puc afirmar que sóc feliç en fer-ho,
intensament feliç moltes vegades.
Vull deixar dit això que dic, i prou.
Més endavant ja diré d'altres coses.

qui est mon lot. Je ne renoncerai point.
Je le fais pour moi mais aussi pour tous.
Voilà un certain espace et un très incertain destin :
destin et espace, chacun les emplit.
La véritable mort c'est déserter.

De temps à autre un épais rideau tombe
sur tout, et tout devient stérile.
Ce n'est pas le silence et c'est plus que cela.
Les mots flottent dans une mer immobile,
toute la chambre est un piège où éclatent,
inutilement, les angoisses et les projets.
Rien ne distrait plus de ces moments terribles
que de fermer les yeux et d'imaginer un corps
de jeune fille enclin au jeu, à la dispute.

Discrètement, mais avec cette force
dont on ne connaît pas bien l'origine
je veux dire ce que je dis, les choses
élémentaires et claires qui m'émeuvent :
sentiments, aspirations, inquiétudes,
le faire et défaire simple et quotidien.
Ce faisant, j'affirme que je suis heureux
très souvent je peux l'être intensément.
Je veux dire ce que je dis, c'est assez.
Plus tard, viendra le temps de dire autre chose.

ESTIMADA MARTA

I

Des de les hores mortes, talaiot,
m'omplo la pell de dibuixos obscens
i tu hi ets, Marta, en tots. Minuciós
et ressegueixo sines i malucs,
el ventre lleu i el sexe ardent i obscur
amb la punta dels dits extasiats.
Ets une sola i moltes. Complaent
i complaguda alhora rodolem
per un pendent insòlit. Cada gest
perfà l'extrema intimitat del joc
desmesurat i estricte. Marta, els mots
que ens diem sense dir-los no són pas
escuma sinó aigua, i el desig
és un vast horitzó. Si tanco els ulls
te'm fas present i esclaten els colors.
L'arbre de llum tan densa dels sentits
poblat de nou de fulles i d'ocells.

MARTHE MON AMOUR

I

A partir des heures mortes, dolmen,
je sature ma peau de dessins obscènes
et tu es là, Marthe, dans tous. Minutieux
je parcours tes seins, tes hanches, ton ventre
léger et ton sexe ardent et obscur,
du bout de mes doigts extasiés.
Tu es une et plusieurs. Complaisante
et comblée à la fois nous dévalons
une pente insolite. Chaque geste
parfait l'extrême intimité du jeu
démesuré et strict. Marthe, ces mots
que nous disons sans les dire ne sont pas
écume mais eau, et le désir
un vaste horizon. Je ferme les yeux
tu m'apparais et les couleurs éclatent.
L'arbre de lumière des sens si dense
peuplé à nouveau de feuilles et d'oiseaux.

No em prens ni et prenc. Traço el perfil d'un gest
i tanta llum es pobla del teu cos
que ja la llum ets tu i tots els colors
s'esbalcen i es confonen. Afuats,
esdevenim la punta d'un sol crit,
d'un sol desig, d'un sol pressentiment.
Vibra el silenci. Pluges i metalls
mesclen els sons. L'espera és tensa. Tens
l'arc del teu cos i alhora acollidor.
Entro en tu, Marta, tendrament, i creix
en ones lentes, poderós, el goig
fins a assolir la fonda plenitud,
la balma clara sense tornaveus.
Pura i obscena et mostres. Tens els pits
suaus i erectes i te'ls beso. Tu
somrius a penes, bleixes i m'aculls.
Molt dolçament repeteixo el teu nom.

Tu ne me prends pas et je ne te prends pas. J'esquisse
un geste, tant de lumière qu'habite ton corps
lumière qui n'est que toi et les couleurs
se précipitent et se confondent. Aiguisés,
nous devenons la pointe d'un seul cri,
d'un seul désir, d'un seul pressentiment.
Le silence vibre. Pluies et métaux
mêlent leurs sons. L'attente est tendue. Tendu
et accueillant l'arc de ton corps.
Marthe, je pénètre en toi, tendrement,
et le plaisir, puissant, en vagues lentes
croît jusqu'à la profonde plénitude,
la grotte claire et sans échos.
Tu te montres pure et obscène. Tes seins
sont doux et dressés, je les embrasse. Tu
souris à peine, haletante, tu m'accueilles.
Doucement je répète ton nom.

Les clares rutes del teu cos i el vent
a les terrasses altes de la nit.
Llegeix-me els ulls. M'aprenc i em desaprenc
sense dir res. Tant d'horitzó sobrer
i aquesta melangia amb verds i blaus,
fulles i somni, i algun cant llunyà
que ni somou els borrallons de pols.
S'atarda el gest. Meandres de claror
i aquest atzar de tot que no constreny
ni lliga ni sotmet. Lassos, deixem
que el raig del temps flueixi lentament
i ens amari de nou. Membres endins
recomença el gran cicle; terra i sang
mesclats confusament, i fosca i llum
encara indestriables. Penso el mar
immòbil i llunyà d'una postal.
L'espera, Marta, clar cancell del goig.

Les routes claires de ton corps et le vent
sur les hautes terrasses de la nuit.
Lis mes yeux. Je m'apprends et me désapprends
sans rien dire. Tant d'horizon superflu
et cette mélancolie de verts et de bleus,
feuilles et songes, et ce chant lointain
qui n'ébranle nul amas de poussière.
Le geste s'attarde. Méandres de clarté
et le hasard de toute chose ne me contraint
ne me relie ni ne me soumet. Las, nous laissons
le rayon du temps couler lentement
et nous imprégner à nouveau : Dans les membres
recommence le grand cycle ; terre et sang
mêlés confusément, obscurité et lumière
encore inséparables. Je pense à la mer
immobile et lointaine d'une carte postale.
L'attente, Marthe, antichambre du plaisir.

Lluny, Marta, lluny de tot i en solitud;
platja deserta, cambra closa, bosc
de grans silencis; tanta vida, tant
de tu i de mi pertot arreu que res
no ens escatima imatges: fonda arrel
que ens nodreix i que ens serva. Lentament
emergim de les aigües, xops de llum.
Que vibri l'arc que tensa cada mot
i cada gest i cada sentiment;
que el mar, llunyà, pregoni l'alt triomf
de la teva bellesa i del meu goig.
Lluny, Marta, lluny, l'esclat intens del blanc
restaura els límits que hem tan vulnerat.
No hi ha buidor ni fosca, i altre cop,
vida i no vida en un sol moviment,
m'omplo la pell i el pensament de tu
des de les hores mortes, talaiot.

Loin, Marthe, loin de tout et solitaire ;
plage déserte, chambre close, forêt
de grands silences ; tant de vie, tant
de toi et de moi partout de façon que rien
ne nous épargne les images : racine profonde
qui nous nourrit et nous garde. Lentement
nous sortons de l'onde, trempés de lumière.
Que vibre l'arc que tend chaque parole
chaque geste et chaque sentiment ;
que la mer, lointaine, clame le grand triomphe
de ta beauté et de mon plaisir.
Loin, Marthe, loin, l'éclat intense du blanc
restaure les limites si transgressées.
Ni vide ni obscurité, mais à nouveau,
vie et non-vie en un seul mouvement,
je sature ma peau et ma pensée de toi,
à partir des heures mortes, dolmen.

L'HOSTE INSÒLIT

No em malvendré el silenci. D'aquest cos
en conec els topants i les dreceres
i n'estimo els esclats, les defallences;
no hi visc a pler, però hi visc i això em basta.

No em malvendré el silenci ni l'espai
feixuc de mi mateix i dels projectes
desmesurats que em poblen i m'exalten.
Amb els dits balbs de tant palpar memòries
m'inscric a tota mena de propòsits
de goig i d'esperança.
                              Fonda i clara,
la veu que em repeteix proclama vida.

Deixa'm no dir-te el que hem perdut. Ho saps
tan bé com jo, i prou que ho repeteixen
tot de corcs, insistents i temeraris,
només que paris un xic les orelles.

Sí que vull dir-te, en canvi, el que hem guanyat:
un pam de món, concret i destriable,
i un vidre de colors per contemplar-lo.

Tanca els ulls i el veuràs com jo el veig ara.

No et diré pas què hi ha rere cada paraula.

L'HOTE INSOLITE

Je ne dilapiderai pas le silence. Mon corps
j'en connais les parages et les raccourcis
et j'en aime les éclats et les défaillances ;
je ne l'habite pas par plaisir mais il me suffit.

Je ne dilapiderai ni le silence ni l'espace
lourd de mon corps et des projets
démesurés qui me peuplent et m'exaltent.
De mes doigts gourds de palper les mémoires
j'adhère à toutes sortes de projets
de joie et d'espérance.
                    Profonde et claire,
la voix qui me répète proclame la vie.

Je ne dis pas ce que nous avons perdu. Tu sais
cela aussi bien que moi, ces vermisseaux
insistants et résolus, te le répètent
si tu prends la peine de tendre l'oreille.

Mais je te dirai ce que nous avons gagné :
un arpent de monde, concret, localisable,
et un prisme de couleurs pour le contempler.

Ferme les yeux et tu le verras comme je le vois.

Je ne dirai pas ce qu'il y a sous chaque mot.

Ara ha plogut i el que resta de tarda
serà més íntim i més clar.

Fugim de qualsevol verbositat.
Diguem només el que és essencial:
els mots de créixer i estimar, i el nom
més útil i senzill de cada cosa.

Delimita'm l'espai, però no esperis
que renunciï a res d'allò que estimo.

Mira el vent com pren forma de begònies,
com neteja els miralls i les cortines
i esmola els caires vius d'aquest capvespre.

Tinc une pedra a les mans.
                Cada nit
la deixo caure al pou profund del son
i la'n trec l'endemà, xopa de vida.

No vull conservar res que cridi la memòria
del vent arravatat i dels noms del silenci.
Vinc d'un llarg temps de pluges damunt la mar quieta
dels anys, i res no em tempta per girar els ulls enrera.

Tu que em coneixes, saps que sóc aquell que estima
la vida per damunt de qualsevol riquesa,
l'èxtasi i el turment, el foc i la pregunta.

Il a déjà plu et ce qui reste de l'après-midi
sera plus intime et plus clair.

Fuyons toute verbosité.
Disons seulement l'essentiel :
les mots grandir et aimer, et le nom
le plus utile et le plus simple de chaque chose.

Délimite mon espace, mais n'attends pas
que je renonce à ce que j'aime.

Regarde le vent prendre la forme des bégonias,
regarde-le nettoyer vitres et rideaux
aiguiser les angles vifs du crépuscule.

J'ai une pierre dans les mains.
                              Chaque nuit
elle tombe dans le puits profond du sommeil
au matin, je la retire, trempée de vie.

Je ne garde rien qui appelle la mémoire
du vent exaspéré et des noms du silence.
Je viens d'une longue saison de pluies sur la mer
calme des années, rien ne me pousse à me retourner.

Tu me connais, ne suis-je pas celui qui aime
la vie pleinement et par dessus toute richesse,
l'extase et le tourment, le feu et la question.

Cridat a viure, visc, i poso la mà plana
damunt aquest ponent que el ponent magnifica.

Solemnement batega la sang en cada cosa.

Tot és camí des d'ara. Faig jurament de viure.

Ara que tots dos junts fem una sola
columna de claror, penso la urgent
necessitat de combatre els miratges,
d'abondonar la platja de les hores
on el sol cau a plom damunt l'arena
i abalteix voluntats, i d'establir
noves rutes, reblertes de presagis.

Aquest risc d'ara és temptador.
                        No ens calen
espectadors furtius ni gent que aprovi
cada gest i en subratlli la destresa.
Llesquem el pa de cada instant.
                           Benignes
i agosarats, estimarem la vida
que muda i que es perfà, noblement lenta
i també noblement porfidiosa.

I anirem lluny, encadenats al pur
atzar dels horitzons, que mai no tanquen
amb pany i clau l'estímul del paisatge.

A l'appel de la vie, je vis, et pose ma main
à plat sur ce ponant que le ponant magnifie.

Le sang coule solennellement en chaque chose.

Désormais tout est chemin. Je jure de vivre.

Tous deux ne faisons plus qu'une seule
colonne de clarté, je pense à l'urgente
nécessité de combattre les mirages,
d'abandonner la plage des heures
où le soleil de plomb tombe sur le sable
annihile les volontés, d'établir
de nouveaux chemins, jalonnés de présages.

A présent, ce risque est tentant.
                                    Nul besoin
de spectateurs furtifs, de gens qui approuvent
chaque geste et en souligne l'habileté.
Nous coupons le pain à chaque instant.
                                    Innofensifs
et téméraires, nous aimerons la vie
qui se transforme et se parfait, noble
et lente, noble et obstinée.

Nous irons très loin, enchaînés au pur
hasard des horizons qui jamais ne ferment
à clé la stimulation du paysage.

LES CLARES PARAULES

GOIG DE LA PARAULA

Em crides sempre a més combat,
pensament viu, paraula viva,
enllà i endins de mi mateix.
No em dol, però; què fóra sense tu?
Tot es resol en el teu foc
que crema sense consumir
i en la pedra que dreces davant meu.
En tu i amb tu restitueixo
la densitat de cada cosa dita,
la densitat i més i tot: la vida.

LES PAROLES CLAIRES

JOIE DE LA PAROLE

Tu m'appelles à plus de combat,
pensée vive, parole vive,
au-delà et au-dedans de moi.
Je ne me plains pas ; que serais-je sans toi ?
Tout se résoud dans ton feu
qui brûle sans consumer
dans la pierre que tu dresses devant moi.
En toi et avec toi je restitue
la densité de chaque chose dite,
la densité plus encore : la vie.

RERA EL MARGE

A Teresa, molt afectuosament

No ens moguem d'aquest lloc,
que el temps ara transcorre dolçament
rera el marge dels teus anys i dels meus
i ja tot ens pertany molt més que abans.

No sabria pas dir-te quina llum
veig que et dansa a l'entorn de la cintura,
quina claror t'encén els ulls,
quina tendresa et llisca pels cabells.
Només, potser, podria dir-te'n
els colors, i no cal, que prou que els saps.

Aprofita, si et plau, la llum que ens plou
finestra enllà d'aquest capvespre plàcid
per.llegir-me en veu alta (jo no puc)
els versos que tu i jo més estimem.

DERRIERE LA LISIERE

A Teresa, très affectueusement

Ne quittons pas ce lieu
le temps s'y écoule doucement
derrière la lisière de nos années
et tout nous appartient davantage.

Je ne saurais te dire quelle lumière
je vois danser autour de ta taille,
quelle clarté allume tes yeux,
quelle tendresse se glisse dans tes cheveux.
Je pourrais seulement t'en dire
les couleurs, non, tu les connais si bien.

S'il te plaît, profite de la lumière qui pleut
par la fenêtre de ce calme crépuscule
pour me lire à haute voix (moi je ne le peux)
les vers que, tous deux, nous préférons.

TOT GIRAVOLTA

¿I com, sinó sabent-les i sentint-les,
podria dir les coses que ara dic?

No parlo pas de saviesa; parlo
de vida i de misteris,
i els camins en són plens.
                         Tot giravolta
i ens arrosega.
              Ple de mi i de tot
alço la copa i bec.
               Per la finestra
penetra a dolls l'aigua brogent dels somnis.

TOUT VIREVOLTE

Comment pourrais-je dire tout ceci
sans le connaître ni le ressentir ?

Je ne parle pas de sagesse, je parle
de vie et de mystères,
ce dont les chemins regorgent.
                              Tout virevolte
et nous entraîne.
                    Empli de moi et de tout
je lève la coupe et je bois.
                          Par la fenêtre
l'eau mugissante des songes pénètre à flots.

VACANCES

Aquí també — i a tot arreu — els límits
són cada cop més estrictes.
                              Te'n parlo
lúcidament i clara, com escau
de parlar de les coses més senzilles.

Posem en ordre els sentiments; no pas
per retre comptes a ningú, sinó
per saber bé l'espai concret que ocupen.

Amb símbols sols, ja ho saps, no podem viure;
sense símbols, tampoc. Tots els propòsits
tenen dret i revés.
                              Ara tu i jo
podem almenys intentar de comprendre'n
sense temor ni dany tots dos aspectes.

VACANCES

Ici — comme partout ailleurs — les limites
deviennent toujours plus strictes.
                              Je te parle
clairement, lucidement, c'est ainsi
qu'il faut parler des choses les plus simples.

Mettons de l'ordre dans les sentiments ;
non pas pour rendre des comptes mais pour
bien connaître l'espace qu'ils occupent.

Nous ne pouvons vivre que de symboles,
mais nous ne pouvons nous en passer. Tout
propos a son endroit et son univers.
                              Tous deux à présent
sans peur ni dommage nous pouvons au moins
essayer d'en comprendre les deux aspects.

TOTA CREIXENÇA

És impúdic l'enyor; confereix una estranya
complicitat a sentiments i objectes,
traça amb colors llampants perfils quasi oblidats
i de tot treu profit per abaltir i sotmetre.

Amb verds d'estiu t'ho dic, però em recorren
la sang i les paraules els primers
calfreds d'un hivern plàcid.
                Mira, al lluny
sempre hi ha un punt en què blau i blau es confonen
tant en mar com en terra; més enllà
la llum adolla plenitud i força.

Qui crida a fer-se amb urc ni espera ni demana ;
pensa el camí i el fa.
                Així tota creixença.

TOUTE CROISSANCE

La nostalgie est impudique ; elle confère
une étrange complicité aux sentiments et aux objets,
elle trace des profils oubliés aux couleurs criardes
et tire profit de tout pour user et soumettre.

Je le dis avec des verts d'été bien que les premiers
frissons d'un hiver calme parcourent
mes veines et mes paroles.
                  Regarde, au loin
ce point où bleu et bleu toujours se confondent
sur la mer comme sur la terre ; plus loin
la lumière déverse plénitude et force.

Qui aspire à l'être fier n'attend ni ne demande ;
il conçoit le chemin et le réalise.
                  Ainsi que toute croissance.

COMIAT

No se l'ha enduta cap mal vent la noia
que quan venia cap al tard mostrava
a contrallum les cuixes esveltíssimes.
No se l'ha enduta el vent ni la peresa
d'aquest estiu lentíssim que arrossega
penons de tants colors per tots els marges.

Venim de lluny i anem més lluny encara,
i convergeixen veus a la cruïlla
d'aquest temps nou, assossegat i càlid,
que ens afeixuga dolçament els muscles.

Tot tornarà: la noia dels capvespres
i l'or d'aquest silenci, la tendresa
i el neguit, el combat i l'esperança.
Mentrestant, amb el gest i amb la mirada,
llastem els mots perquè proclamin vida.

CONGÉ

Nul vent mauvais n'a emporté la fille
qui venait sur le tard pour exhiber
à contrejour ses cuisses sveltes.
Nul vent ne l'a prise ni la paresse
de l'été lent qui va traînant les bannières
de mille couleurs par toutes les lisières.

Nous venons de loin et allons plus loin,
et des voix convergent à la croisée
de ce temps nouveau, apaisé et chaud,
qui nous alourdit doucement les muscles.

Tout reviendra : la fille des crépuscules
et l'or de ce silence, la tendresse
et l'inquiétude, le combat et l'espérance.
En attendant, du regard et du geste
nous lestons les mots pour proclamer la vie.

L'ÀMBIT DE TOTS ELS ÀMBITS

ARA MATEIX

Ara mateix enfilo aquesta agulla
amb el fil d'un propòsit que no dic
i em poso a apedaçar. Cap dels prodigis
que anunciaven taumaturgs insignes
no s'ha complert, i els anys passen de pressa.
De res a poc, i sempre amb vent de cara,
quin llarg camí d'angoixa i de silencis.
I som on som; més val saber-ho i dir-ho
i assentar els peus en la terra i proclamar-nos
hereus d'un temps de dubtes i renúncies
en què els sorolls ofeguen les paraules
i amb molts miralls mig estrafem la vida.
De res no ens val l'enyor o la complanta,
ni el toc de displicent malenconia
que ens posem per jersei o per corbata
quan sortim al carrer. Tenim a penes
el que tenim i prou: l'espai d'història
concreta que ens pertoca, i un minúscul
territori per viure-la. Posem-nos
dempeus altra vegada i que se senti
la veu de tots solemnement i clara.
Cridem qui som i que tothom ho escolti.
I en acabat, que cadascú es vesteixi

LE DOMAINE DE TOUS LES DOMAINES

À L'INSTANT

A l'instant j'enfile cette aiguille
avec le fil d'un propos que je tais
et je me mets à rapiécer. Aucun des miracles
qu'annonçaient les éminents thaumaturges
ne s'est accompli, et les années défilent.
Du néant aux miettes, toujours face au vent,
quel long chemin d'angoisse et de silences.
Nous en sommes là : mieux vaut le savoir, le dire,
avoir les pieds sur terre et se proclamer
héritiers d'une ère de doutes et d'abandons
dans laquelle les bruits étouffent les mots
et les nombreux miroirs nous déforment la vie.
Nostalgie et complainte nous sont inutiles
comme la touche d'indifférente mélancolie,
le gilet ou la cravate que nous mettons
pour sortir. Nous avons si peu et nous
n'avons que cela : un espace d'histoire
concrète qui nous est dévolu, et un minuscule
territoire pour la vivre. Relevons-nous
encore une fois et faisons tous entendre
notre voix de manière solennelle et claire.
Crions qui nous sommes et tous l'entendrons.
Après tout que chacun s'habille

com bonament li plagui, i via fora!,
que tot està per fer i tot és possible.

3

Molt lentament giravolta la sínia
i passen anys, o segles, fins que l'aigua
s'enfila al cim més alt i, gloriosa,
proclama la claror per tots els àmbits.
Molt lentament davallen aleshores
els catúfols per recollir més aigua.

Així s'escriu la història. Saber-ho
no pot sobtar ni decebre ningú.

5

¿Qui sinó tots — i cadascú per torna —
podem crear des d'aquests límits d'ara
l'àmbit de llum on tots els vents s'exaltin,
l'espai de vent on tota veu ressoni?
Públicament ens compromet la vida;
públicament i amb tota llei d'indicis.
Serem allò que vulguem ser. Debades
fugim del foc si el foc ens justifica.

comme bon lui semble, et en avant !
Tout reste à faire et tout est possible.

3

La noria pivote sans fin et lentement,
les années et les siècles passent, l'eau
monte au plus haut sommet et, glorieuse,
diffuse la clarté dans tous les domaines.
Les godets descendent sans fin et lentement
dans le but de recueillir davantage d'eau.

L'histoire s'écrit ainsi. De le savoir
ne peut surprendre ni décevoir personne.

5

N'est-ce pas à partir des limites actuelles
que tous nous créerons — et chacun à son tour —
ce domaine de lumière où tout vent s'exalte,
cet espace de vent où toute voix résonne ?
Notre vie nous engage donc publiquement ;
publiquement et avec toute loi d'indices.
Nous serons ce que nous voudrons être. En vain
fuyons-nous le feu si le feu nous justifie.

Convertirem els silencis en or
i els mots en foc. La pell d'aquest retorn
acumula la pluja, i els afanys
esborren privilegis. Lentament
emergim del gran pou, heures amunt,
i no pas a recer de cap malastre.

Convertirem el vell dolor en amor
i el llegarem, solemnes, a la història.

Nous transmuterons tous les silences en or
et tous les mots en feu. La peau de ce retour
accumule la pluie, et les coups d'efforts
effacent certains privilèges. Lentement
nous émergeons du grand puits sur les lierres,
et non plus à l'abri d'un désastre.

Nous transmuterons la vieille douleur en amour
et, solennels, nous le lèguerons à l'histoire.

LA CASA

Deixem que l'herba creixi pels camins
i esborri el pas del vianant cansat;

tot el que és bell incita a la bellesa.

No dol l'oblit, que en cada gest hi ha tota
la immensitat del voler i el desig
de fer-lo perdurable.

De nosaltres depèn que el pas del temps
no malmeti els senyals que hi ha escrits a les pedres

i que l'hoste que els anys anuncien no trobi
la casa abandonada, i fosca, i trista.

LA MAISON

Laissons l'herbe pousser sur les chemins
et gommer le pas du voyageur fatigué.

Tout ce qui est beau incite à la beauté.

On ne regrette pas l'oubli, dans chaque geste il y a
l'immensité du vouloir et le désir
de le rendre durable.

Il dépend de nous que le pas du temps
n'endommage les signes gravés sur les pierres

et que l'hôte annoncé par les années ne trouve
la maison abandonnée, obscure et triste.

PÒRTIC

Tant com el gest sempre suscita un altre gest
i tota llum neix del combat del vent i l'arbre,
així per la mirada i el desig
renovem constantment horitzons i distàncies.

Cada fulla proclama la certesa del bosc
i cada ocell la densitat de l'aire.
No hi ha miralls opacs, car pel neguit
podem baixar al profund en què vida i no vida
mesclen les seves aigües, i emergir-ne
mudat el cos en laberint d'aurores.

Tot passa pel secret dels dits i per l'encesa
voluptat del misteri que retalla la imatge
platges enllà del temps, i atia la sorpresa.
Tot ressona per l'àmbit silenciós del gest
i esclata en cada mot.
                    Només viu qui pregunta.

PORTIQUE

Le geste suscite toujour un autre geste
la lumière naît du combat entre vent et arbre,
ainsi par le regard et le désir,
nous renouvelons sans cesse horizons et distances.

La feuille proclame la certitude du bois
et l'oiseau la densité de l'air.
Nul miroir n'est opaque, car par l'inquiétude
nous pouvons atteindre le fond où vie et non-vie
mêlent leurs eaux, et en émerger
le corps changé en labyrinthes d'aurores.

Tout passe par le secret des doigts, la volupté
enflammée du mystère qui découpe l'image
plages hors du temps, et attise la surprise.
Tout résonne par l'espace muet du geste
et il éclate en chaque mot.

                             Seul celui qui questionne vit.

MÉS VIDA

Que és bo saber restar quan tot incita
a desistir.
        Tanquem, si cal, les portes
i convertim la casa en un reducte
on cada cosa, a poc a poc, reprengui
dimensions comprensibles i amigues.

Res no ens limita fora del refús
d'aquest espai. En la incertesa granen
veus i més veus, i al lluny el mar proposa
l'impuls del vent i la llum de les rutes.

Sempre el ponent convoca focs i aurores.

Saber restar, vet ací la consigna,
i preservar cadascú el petitíssim
terreny en què proclama, altiu, més vida.

PLUS DE VIE

Qu'il est bon de rester ferme quand tout vous pousse
à renoncer.
               S'il le faut, fermons les portes
et transformons la maison en réduit
où les choses reprendront peu à peu
des dimensions compréhensibles et amicales.

Rien ne nous limite sauf le refus
de cet espace. Des voix dans l'incertitude,
maintes voix grènent, et au loin la mer propose
l'impulsion du vent et la lumière des routes.

Le ponant convoque toujours des feux et des aurores.

Savoir rester ferme, voilà la consigne,
que chacun préserve le minuscule
terrain où, fier, il proclame plus de vie.

SOLSTICI

Reconduïm-la a poc a poc, la vida,
a poc a poc i amb molta confiança,
no pas pels vells topants ni per dreceres
grandiloqüents, sinó pel discretíssim
camí del fer i desfer de cada dia.
Reconduïm-la amb dubtes i projectes,
i amb turpituds, anhels i defallences;
humanament, entre brogit i angoixes,
pel gorg dels anys que ens correspon de viure.

En solitud, però no solitaris,
reconduïm la vida, amb la certesa
que cap esforç no cau en terra eixorca.
Dia vindrà que algú beurà a mans plenes
l'aigua de llum que brolli de les pedres
d'aquest temps nou que ara esculpim nosaltres.

SOLTICE

Reconduisons peu à peu la vie,
peu à peu, mais avec toute la confiance,
non par les vieilles allées et les sentiers
grandiloquents mais en prenant le discret
chemin du faire et du défaire quotidiens.
Reconduisons-la avec doutes et projets,
turpitudes, aspirations et défaillances ;
humainement, entre vacarme et angoisses,
par le goulot des années qu'il nous reste à vivre.

Dans la solitude, mais non pas solitaires,
reconduisons la vie, avec la certitude
qu'aucun effort ne peut finir dans le désert.
Un jour viendra quelqu'un boira à pleines mains
l'eau de lumière qui sourdra des pierres
de ce temps nouveau que nous sculptons.

AMAGATALL

Fondos secrets i molt més fonda vida!

Molt cautament, però per la mateixa
ratlla del temps en què tot té un aspecte
solemnial, i el mar al lluny, vastíssim,
accull l'embat de tota llei de somnis.
Molt cautament i amb la mirada encesa
per la claror dels horitzons possibles.
Així i aquí, pel foc i l'esperança,
que cap futur no pella sense angoixa
i cap present no es construeix debades.
Molt cautament i amb claredat extrema,
sabent ben bé que no hi ha risc que empari
perennement de pors i defallences,
ni gest sublim que tot ho justifiqui.

Fondos secrets i molt més fonda vida!

Tot neix i creix del dolor necessari
i, pel dolor, fecundament perdura.
Molt cautament construïm une pàtria.
Jorns i més jorns de callat sacrifici
no són res més que el preu i la mesura
d'aquell amor que ens sosté i ens impulsa.

CACHETTE

Profonds les secrets et plus profonde la vie !

Prudemment et par le même
fil du temps où tout possède un aspect
solennel, où la mer, au loin, vaste,
accueille le choc de toute loi des rêves.
Prudemment et avec le regard brûlant
de la clarté des horizons possibles.
Ainsi et ici, par l'espérance et le feu,
nul avenir ne se cicatrise sans angoisse
nul présent ne se construit inutilement.
Prudemment avec une extrême clarté,
sachant très bien que nul risque ne protège
éternellement des peurs et des défaillances,
que nul geste sublime ne justifie tout.

Profonds les secrets et plus profonde la vie !

Tout naît et grandit de la douleur nécessaire
et, par la douleur, perdure fécondement.
Prudemment nous construisons une patrie.
Des jours et des jours de sacrifice muet
ne sont rien d'autre que le prix et la mesure
de cet amour qui nous soutient et nous stimule.

No hi ha triomf més alt que el de saber-se
convenient, però no imprescindible.
Fem que tothom sàpiga bé les coses:
molt cautament construïm una pàtria,
molt cautament i amb una gran tendresa;
de tots depèn que sigui lliure i justa.

Fondos secrets i molt més fonda vida!

Nul triomphe n'est plus grand que de se savoir
convenable mais nullement indispensable.
Faisons en sorte que tous sachent bien cela :
prudemment nous construisons une patrie,
prudemment et avec beaucoup de tendresse;
de nous tous il dépend qu'elle soit libre et juste.

Profonds les secrets et plus profonde la vie !

TANNKAS

Posem en ordre
sentiments i propòsits
— miralls, sorpreses —,
per quan les deus revinguin
potser tumultuoses.

Miralls, sorpreses;
fals horitzó de pluja.
Cada pregunta
pot desvetllar tempestes;
deixem que ens arrosseguin.

Ara, sol.lícits,
dictem paraules vives
al vent que passa.
Que el vent se les emporti
mars enllà de la història.

En pur silenci
hem preservat uns àmbits.
Edifiquem-hi,
tenaços, una pàtria,
l'àmbit de tots els àmbits.

TANKAS

Remettons en ordre
sentiments et projets
— miroirs et surprises —
pour le prompt retour des sources
peut-être tumultueuses.

Miroirs et surprises ;
ce faux horizon de pluie.
Chaque question
soulève des tempêtes ;
laissons-nous donc entraîner.

A présent, zélés,
dictons de vives paroles
à ce vent qui passe.
Que le vent les emporte
au-delà des mers d'histoire.

En pur silence
nous préservions des domaines.
Edifions sur eux,
tenaces, une patrie,
le domaine des domaines.

MIQUEL MARTÍ I POL

Miquel Martí i Pol est né à Roda de Ter, en 1929, village où il vit toujours. A quatorze ans, il travaille dans une filature de coton, comme comptable.

En 1954, il publie *Paroles au vent* qui obtient le prix Óssa Menor attribué par un jury prestigieux et qui constitue un baptême littéraire très prometteur ; *Quinze Poèmes* en 1957, et *Le village*, en 1966.

En 1970, il ressent les premiers symptômes d'une grave maladie. Mais sa création poétique ne fléchit pas et les publications se succèdent. En 1972, *L'usine* et *Vingt-sept poèmes en trois temps* ; en 1974, *Anthologie 1966-1974* ; en 1975, *Cinq graffiti sur un même mur*.

En 1975, la maison d'édition *Llibres del Mall*, de Barcelone, publie *La racine et l'écorce*, premier volume de l'Œuvre Poétique. Suivront : *Le long voyage* (1976) qui reçoit la *Llettra d'Or 1977* ; *Des bris de verre dans les veines* (1977), prix *Fastenrath 1978* ; *Les paroles claires* (1980) volume qui contient, entre autres livres, *Marthe mon amour*, prix de la Critique 1979 avec 35 000 exemplaires vendus ; *Pour préserver la voix* (1985), cinquième volume, en commémoration du dixième anniversaire du début de la publication de cette Œuvre poétique.

Puis, sans jamais cesser d'écrire de la poésie, Martí i Pol se consacre davantage à la prose, deux volumes de mémoires parus en 1990, et aux traductions. Du français au catalan, il traduit les écrivains classiques, Racine, Flaubert, Zola, Huysmans, Apollinaire ; les contemporains, Saint-Exupéry, Tournier, Genêt ; et les penseurs, De Beauvoir, Barthes, Lévi-Strauss. Il publie également sa correspondance avec le poète Joan Vinyoli.

On ne peut aborder l'œuvre de Martí i Pol sans considérer l'environnement immédiat du poète et les circonstances sociales, historiques et ethniques. Roda de Ter, village de quatre mille habitants, mi-rural, mi-industriel, situé dans la plaine de Vic ; les trois années de guerre et la longue et répressive après-guerre ; enfin, les années soixante et soixante-dix, l'euphorie de la résistance ouverte au franquisme, le déploiement d'une intense activité militante, sociale, culturelle et nationaliste.

Durant les années soixante-dix, Martí i Pol publie le gros de son œuvre poétique et devient le poète catalan le plus édité, le plus lu et le plus populaire. Mais un événement tragique viendra bouleverser sa vie pour toujours. Atteint d'une sclérose en plaques, il est réduit en quelques mois à l'état de grand invalide. Commence alors pour lui une période d'adaptation aux conditions évolutives de la maladie, processus que le lecteur pourra trouver dans ses poèmes, surtout ceux tirés du recueil *Marthe mon amour*. Dans un premier temps, le poète avait exploité en particulier les deux thèmes, le village et l'usine, à présent, le malade, avec une dignité et un courage exemplaires, célèbre le projet d'une nouvelle vie qu'il fait coïncider avec le changement socio-politique de ces années.

Ainsi, une lecture pratique de la poésie de Martí i Pol est celle proposée par Desclot i Medina. Elle permet de distinguer trois étapes dans son œuvre : métaphysique, réaliste, psychologique, qui correspondent à trois périodes de l'histoire récente de la Catalogne.

ORIENTATION BIBLIOGRAPHIQUE

A. LIVRES DE POÉSIE

Paraules al vent, Llibres de l'Óssa Menor, Barcelone, 1954.
Quinze poemes, La Font de les Tortugues, Majorque, 1957.
El Poble, Editorial Daedalus, Majorque, 1966.
La Fàbrica, Quaderns del Bordiol, Barcelone, 1972.
Vint-i-set poemes en tres temps, Edicions 62, Barcelone, 1972.
La pell del violí, Editorial Ausiàs March, Barcelone, 1974.
Cinc esgrafiats a la mateixa paret, Editorial Lumen, 1975.
L'arrel i l'escorça, Llibres del Mall, Barcelone, 1975.
Quadern de vacances, Editorial Proa, Barcelone, 1976.
El llarg viatge, Llibres des Mall, Barcelone, 1976.
Crònica de demà, Llibres del Mall, Barcelone, 1977.
Amb vidres a la sang, Llibres del Mall, Barcelone, 1977.
Estimada Marta, Llibres del Mall, 1978.
L'hoste insòlit, Edicions Proa, Barcelone, 1979.
Les clares paraules, Llibres del Mall, 1980.
L'àmbit de tots els àmbits, Llibres del Mall, 1982.
Primer llibre de Bloomsbury, Llibres del Mall, 1982.
Cinc poemes d'iniciació, Editorial Druïda, Maó, Minorque, 1984.
Autobiografia, Editorial Empúries, 1984.
Andorra (Postals i altres poemes), Editorial Serra Airosa, Andorre, 1984.
Per preservar la veu, Llibres del Mall, 1985.
Llibres d'absències, Editorial Empúries, 1985.
Bon profit !, Editorial Empúries, 1986.
Els bells camins, Llibres del Mall, 1987.
Temps d'interluni, Edicions 62, 1990.

B. PROSE

Contes de la Vila de R., Editorial Lumen, 1978, (récit).
L'aniversari, Editorial Hymsa, 1983, (récit).
Barcelona/Roda de Ter, Editorial Empúries, 1987, (correspondance avec Joan Vinyoli).

En Joan silencis, Edicions de la Magrana, 1988, (récit).
Obertura catalana, Editorial Empúries, 1988, (mémoires).
Defensa siciliana, Editorial Empúries, 1989, (mémoires).

C. ANTHOLOGIES

ANTHOLOGIES DE POÉSIE, EN CATALAN

Cada mot un món, Editorial Lumen, Barcelone, 1979.
Antologia Poètica, Edicions de la Universitat de Barcelone, 1982.
Antologia poètica, Edicions Proa, Barcelone, 1982.
Antologia poètica, Edicions 62, 1983.

ANTHOLOGIES DE POÉSIE CATALANE CONTENANT DES POÈMES DE L'AUTEUR

Un segle de poesia catalana, Edicions Destino, Barcelone, 1968.
Nova antologia de la poesia catalana, Editorial Selecta, Barcelone, 1973.
Poble, Treball i poesia, Editorial Pòrtic, Barcelone, 1974.
Antologia de la poesia eròtica catalana del segle XX, Edicions Proa, Barcelone.

ANTHOLOGIES DE POÉSIE CATALANE TRADUITE

Kaalanische lyric im swanzigsten jahrhundert, Mainz, 1970.
Anthologia dâ novissima poesia catalâ, Futura, Lisboa, 1974.
Een morgenland een avondland, Flemish Pen Center, Bruxelles, 1978.
Modern catalan poetry, New Rivers Press, Minnesota, 1979.
Katalonska lirika XX. stolejta, Cankarjeva Zalozba, Ljubljana, 1981.
Tio katalanska poeter, Fabians Förlag, Göteborg, 1987.

C. TRADUCTIONS

TRADUCTIONS DE LIVRES DE POÉSIE DE L'AUTEUR

Antologia, José Batlló editor, Barcelone, 1974.
Amada Marta, Llibres del Mall, Barcelone, 1981.
Five graffiti on a single wall, the Dolphin book Co., Oxford, 1982.

Pesmj, Drzavna zalozba Slovenije, Lujbljana, 1983.
Antologia, Ediciones Libertarias, Madrid, 1987.
Paraules per la pau, Centre Unesco de Catalunya, 1986, traduit en espagnol, français, anglais, russe, chinois, arabe, et espéranto, plaquette publiée en commémoration de l'Année Internationale de la Paix.

TRADUCTIONS EN CATALAN FAITES PAR L'AUTEUR, ENTRE AUTRES

Ciutadella, Antoine de Saint-Exupéry, Nova Terra, Barcelone, 1965.
Per una teoria de la nació, Robert Lafont, Edicions 62, 1969.
La mesura de l'home, Simone de Beauvoir, Edicions 62, 1969.
Tristos tròpics, Claude lévi-Strauss, Anagrama, Barcelone, 1969.
El pensament salvatge, Claude Lévi-Strauss, Edicions 62, Barcelone, 1971.
El grau zero de l'escriptura, Roland Barthes, Edicions 62, 1973, en collaboration.
Nana, Emile Zola, Edicions 62/La Caixa, Barcelone, 1981.
L'educació sentimental, Gustave Flaubert, Edicions 62/La Caixa, Barcelone 1982.
Tragèdies, Jean Racine, Edicions 62/La Caixa, Barcelone, 1983.
Les criades, Jean Genêt, Llibres del Mall, 1984.
Gaspar, Mercior i Baltasar, Michel Tournier, Edicions 62/La Magrana, Barcelone, 1986.
A Repèl, J.K. Huysmans, Edhasa, Barcelone, 1989.
Poesies lliures, Guillaume Apollinaire, Portic, 1989.

TABLE

ISBN : 2-7291-0891-2
ISSN : 0-993-8672

ACHEVÉ D'IMPRIMER
EN JANVIER 1993
SUR LES PRESSES DE
L'IMPRIMERIE DU PAQUIS
70400 HÉRICOURT
DÉPÔT LÉGAL : 1er TRIMESTRE 1993